CHILE

DE LOS ANDES AL PACIFICO

PABLO VALENZUELA VAILLANT

For Theresa and
Nadim a bird's view of
our long land, hoping
these pictures will tempt
you to visit us. A big
"abrazo" also from far away
Heriberto. Yours as always
Marita

London, 14.10.02

Edición, textos y fotografías - Edition, texts and photographs
PABLO VALENZUELA VAILLANT

•

Diseño y Diagramación - Design and layout
MARGARITA PURCELL MENA

Producción - Production
LIA KRUSELL GONZALEZ

•

Traducción al inglés - English translation by
MAGDALENA VICUÑA SALAS

•

Impresión - Printing
BHA IMPRESORES

I.S.B.N. 956-7376-02-6

Inscripción - Registration
No. 91.291

Primera Edición 1994 - First Edition 1994
Pablo Valenzuela Vaillant
Napoleón 3565 • Of. 604 • Fonos: 203 7141 - 208 6205
Las Condes • Santiago de Chile

PABLO VALENZUELA VAILLANT NACIO EN SANTIAGO DE CHILE EN
1964. AMANTE DE LA NATURALEZA, HA DEDICADO VARIOS AÑOS A
RECORRER SU PAIS DE PUNTA A CABO. TITULADO DE INGENIERO
CIVIL EN LA UNIVERSIDAD CATOLICA DE CHILE EN 1989,
ACTUALMENTE SE DEDICA DE LLENO A LA FOTOGRAFIA DE
PAISAJES, A LA ADMINISTRACION DE SU PROPIO BANCO DE
IMAGENES Y A LA EDICION DE PUBLICACIONES REFERENTES A
CHILE. SUS FOTOGRAFIAS Y REPORTAJES FIGURAN EN DIFERENTES
MEDIOS. ESTE LIBRO, JUNTO A SU PRIMERA OBRA, "CHILE, PAISAJES
DEL CONFIN DEL MUNDO", NOS REVELAN UNA VEZ MAS SU PASION
POR EL PAISAJE Y LA NATURALEZA DE CHILE.

•

PABLO VALENZUELA VAILLANT WAS BORN IN SANTIAGO, CHILE,
IN 1964. A LOVER OF NATURE, HE HAS DEDICATED SEVERAL YEARS
TO TRAVEL THROUGH HIS COUNTRY, FROM ONE END TO THE OTHER.
HE GRADUATED AS CIVIL ENGINEER AT THE UNIVERSIDAD
CATOLICA DE CHILE IN 1989 AND AT PRESENT HE IS FULLY
DEDICATED TO PHOTOGRAPHY OF LANDSCAPES, TO THE
ADMINISTRATION OF HIS OWN BANK OF IMAGES AND TO THE
PUBLICATION OF WORKS CONCERNING CHILE. HIS PHOTOGRAPHS
AND REPORTS HAVE APPEARED IN DIFFERENT PUBLICATIONS. THIS
BOOK, TOGETHER WITH HIS FIRST WORK ENTITLED "CHILE,
PAISAJES DEL CONFIN DEL MUNDO", MAKE EVIDENT HIS PASSION
FOR CHILE'S LANDSCAPES AND NATURE.

HACIA EL NORTE, LA INMENSIDAD Y SOLEDAD SOBRECOGEDORA DEL DESIERTO. HACIA EL SUR, LA ESCABROSA GEOGRAFIA DE MONTAÑAS, SELVAS Y GLACIARES. TODO SE CONFIGURA EN CHILE PARA HACER DE ESTE UN PAIS FASCINANTE. UN PAIS CUYA GENEROSA NATURALEZA PERMITE DISFRUTAR DE LOS MAS BELLOS Y CONTRASTADOS PARAJES. DESDE LAS COLOSALES CUMBRES DE MAS DE 6.000 METROS QUE CORONAN EL ALTIPLANO A LOS AZULES LAGOS QUE SE DIBUJAN CUAL ROMPECABEZAS EN MEDIO DE VOLCANES Y BOSQUES.

DOS FRONTERAS NATURALES SEPARAN A CHILE DEL RESTO DEL MUNDO. COMO UNA LARGA Y ESTRECHA FAJA DE TIERRA, SE EXTIENDE POR MAS DE 4.000 KILOMETROS, ENTRE LOS ANDES Y EL PACIFICO. CHILE ES, SIN DUDA, UN PAIS DE MARCADOS CONTRASTES. UNA TIERRA DE AVENTURA, UN PARAISO PARA LOS AMANTES DE LA NATURALEZA. ES AQUI DONDE SE PUEDE DISFRUTAR DE LA SOLEDAD ABSOLUTA EN INFINITOS RINCONES DE INIGUALABLE BELLEZA. SUMADO A ESTO, LA AUSENCIA DE ANIMALES E INSECTOS PELIGROSOS, LO HACE IDEAL PARA UNA AVENTURA SIN RIESGOS.

POCO MAS DE TRECE MILLONES DE HABITANTES PUEBLAN ESTE PAIS AUSTRAL. MEZCLA DE ESPAÑOL E INDIGENA, CON APORTES MENORES DE ALEMANES, ITALIANOS, INGLESES, CROATAS, ARABES Y TANTOS OTROS, LOS CHILENOS CONSTITUYEN UNA RAZA HOMOGENEA Y BLANCA.

NO ES DIFICIL RECORRER EL TERRITORIO. EXISTEN CARRETERAS Y CAMINOS EN GRAN PARTE DE EL, CON LA EXCEPCION DE CIERTOS SECTORES EN EL EXTREMO AUSTRAL, DONDE LA NAVEGACION POR LOS CANALES REEMPLAZA AL TRANSPORTE TERRESTRE. DEL MISMO MODO, SU INFRAESTRUCTURA TURISTICA, FUERTEMENTE INCREMENTADA EN LOS ULTIMOS AÑOS, ACOGE A QUIENES SE AVENTUREN POR ESTAS LATITUDES.

GRAN PARTE DE LA GEOGRAFIA DE CHILE ESTA DADA POR TRES FRANJAS CARACTERISTICAS. AL ORIENTE, LA CORDILLERA DE LOS ANDES; AL CENTRO, LA DEPRESION INTERMEDIA; Y AL PONIENTE, LA CORDILLERA DE LA COSTA.

INMENSAMENTE ARIDO Y SOLITARIO, EL NORTE GRANDE SOBRECOGE POR SU PAMPA DESERTICA E INFINITA, QUE SE EXTIENDE HACIA LOS VOLCANES Y NEVADOS QUE ENCIERRAN EL HORIZONTE. A SUS PIES, EL ALTIPLANO ASOMBRA POR SUS SALARES, LAGUNAS Y BOFEDALES Y POR SUS PINTORESCOS PUEBLOS PREHISPANOS.

GENEROSA EN YACIMIENTOS MINEROS, ESPECIALMENTE DE COBRE, LA ZONA NORTE VIVIO UN GRAN APOGEO A COMIENZOS DE SIGLO, CUANDO EL SALITRE DIO ORO Y FAMA A LA REGION.

MAS AL SUR, COBRAN FUERZA LOS VALLES TRANSVERSALES, INTERRUMPIENDO CON SUS VERDES CULTIVOS LAS ARIDAS SERRANIAS. ALLI ESTA EL VALLE DE ELQUI, MISTICO RINCON TAPIZADO DE VIÑAS. MAS ABAJO, LA SERENA ENCANTA POR SUS PLAYAS Y SUS SEÑORIALES EDIFICIOS.

AMPLIOS Y FERTILES VALLES AGRICOLAS MARCAN EL INICIO DE LA ZONA CENTRAL. ES AQUI DONDE SE FORJARON LAS CARACTERISTICAS MAS PECULIARES DE LA CHILENIDAD. ES TIERRA

DE HUASOS, DEL RODEO Y DE LA CUECA. Y ES AQUI TAMBIEN DONDE VIVE LA MAYOR PARTE DE LA POBLACION CHILENA, CONCENTRADA PRINCIPALMENTE EN SANTIAGO, EXTENSA CIUDAD A LOS PIES DE LOS ANDES.

LAS CORTAS DISTANCIAS EXISTENTES ENTRE MAR Y CORDILLERA PERMITEN DISFRUTAR DEL ESQUI EN AFAMADOS CENTROS INVERNALES Y DE LAS PLAYAS EN ENCANTADORES BALNEARIOS. JUNTO AL PACIFICO, VIÑA DEL MAR Y VALPARAISO DESTACAN POR SU ARQUITECTURA TRADICIONAL.

LA APARICION DE LOS GRANDES BOSQUES QUE CUBREN QUEBRADAS Y MONTAÑAS ANUNCIA EL COMIENZO DEL SUR DE CHILE. FAMOSO POR SUS PAISAJES IDILICOS, DONDE REINAN LOS LAGOS, LOS VOLCANES Y LOS RIOS, ES EL PARAISO DE LOS DEPORTES NAUTICOS, DEL EXCURSIONISMO, DE LA PESCA, DEL RAFTING Y DE LAS TERMAS. BONITAS CIUDADES Y PUEBLOS SALEN AL ENCUENTRO. VALDIVIA, PUERTO VARAS, FRUTILLAR Y TANTAS OTRAS ACOGEN CON SU ESTILO TAN PROPIO DE LOS COLONOS ALEMANES QUE DESPEJARON LA SELVA FRIA DURANTE EL SIGLO PASADO.

MAS AL SUR, EL GRAN VALLE CENTRAL DESAPARECE BAJO EL MAR, DANDO ORIGEN A UN SINFIN DE ISLAS, CANALES Y FIORDOS. ALLI ESTA CHILOE, PINTORESCO ARCHIPIELAGO REPLETO DE IGLESIAS DE MADERA Y DE BARQUITOS SURCANDO SUS AGUAS. AL ORIENTE, MAGNIFICAS MONTAÑAS, BOSQUES Y RIOS ENGALAN LA LLAMADA CARRETERA AUSTRAL. YA EN TIERRAS PATAGONICAS, IRRUMPEN LOS ENORMES GLACIARES, ENTREMEZCLADOS CON PICACHOS Y BOSQUES PEINADOS POR EL VIENTO. POR MILES, LAS OVEJAS TAPIZAN LAS PRADERAS DE LAS GRANDES ESTANCIAS GANADERAS. EN EL EXTREMO AUSTRAL, EL TERRITORIO SE HUNDE EN EL CABO DE HORNOS, CONFIN DEL CONTINENTE SUDAMERICANO, PARA REAPARECER FINALMENTE EN LA ANTARTICA.

TOWARDS THE NORTH, WE FIND THE STARTLING HUGENESS AND SOLITUDE OF THE DESERT. TOWARDS THE SOUTH, THE ROUGH GEOGRAPHY OF MOUNTAINS, FORESTS AND GLACIERS. IN CHILE EVERYTHING CONTRIBUTES TO MAKE A FASCINATING COUNTRY OF IT. A COUNTRY WHOSE GENEROUS NATURE ALLOWS ONE TO ENJOY THE MOST BEAUTIFUL AND CONTRASTING PLACES, FROM THE COLOSSAL SUMMITS OF MORE THAN 6.000 METERS HIGH THAT CROWN THE ALTIPLANO TO THE BLUE LAKES THAT ARE OUTLINED LIKE A JIGSAW PUZZLE AMONG VOLCANOS AND FORESTS.

TWO NATURAL FRONTIERS SEPARATE CHILE FROM THE REST OF THE WORLD. AS A LONG AND NARROW STRIP OF LAND, CHILE EXTENDS OVER MORE THAN 4.000 KILOMETERS, BETWEEN THE ANDES AND THE PACIFIC. IT IS UNDOUBTEDLY A COUNTRY OF MARKED CONTRASTS. A LAND OF ADVENTURE, A PARADISE FOR THE LOVERS OF NATURE, THIS IS WHERE ONE CAN ENJOY COMPLETE SOLITUDE IN INFINITE PLACES OF UNEQUALLED BEAUTY. MOREOVER, THE ABSENCE OF DANGEROUS ANIMALS AND INSECTS MAKE IT IDEAL FOR AN ADVENTURE WITHOUT RISKS.

A LITTLE MORE THAN THIRTEEN MILLION INHABITANTS LIVE IN THIS SOUTHERN COUNTRY. A MIXTURE OF SPANISH AND NATIVE, WITH MINOR CONTRIBUTIONS FROM GERMANS, ITALIANS, ENGLISH, CROATIANS, ARABS AND OTHERS, CHILEANS CONSTITUTE A HOMOGENEOUS AND WHITE RACE.

IT IS NOT DIFFICULT TO TRAVEL THROUGH THE TERRITORY. THERE ARE MAJOR ROUTES AND ROADS IN GREAT PART OF IT, WITH THE EXCEPTION OF CERTAIN SECTORS IN THE SOUTHERNMOST PART, WHERE THE OVERLAND TRANSPORT IS REPLACED BY NAVIGATION ACCROSS THE CHANNELS. LIKEWISE, ITS TOURIST FACILITIES WHICH HAVE BEEN STRONGLY INCREASED DURING THE LAST YEARS, WELCOME THOSE WHO ADVENTURE IN THESE LATITUDES.

GREAT PART OF THE GEOGRAPHY OF CHILE IS FORMED BY TRHEE CHARACTERISTIC STRIPS. AT THE EAST, THE ANDES MOUNTAIN RANGE; AT THE CENTER, THE INTERMEDIATE DEPRESSION; AT THE WEST, THE COAST MOUNTAIN RANGE.

IMMENSELY ARID AND DESOLATE, THE NORTE GRANDE STARTLES ONE BECAUSE OF ITS DESERT AND INFINITE PAMPA, WHICH EXTENDS TOWARDS THE VOLCANOS AND SNOW-CAPPED MOUNTAINS THAT ENCLOSE THE HORIZON. AT ITS FOOT, THE ALTIPLANO AMAZES ONE WITH ITS SALT PANS, LAGOONS AND MARSHES AND WITH ITS PICTURESQUE PRE-HISPANIC HAMLETS.

GENEROUS IN MINERAL DEPOSITS, PARTICULARLY OF COPPER, THE NORTHERN AREA LIVED A HIGHLY SUCCESSFUL PERIOD AT THE BEGINNING OF THE CENTURY, WHEN NITRATE GAVE GOLD AND FAME TO THE REGION.

FURTHER SOUTH, THE TRANSVERSAL VALLEYS PREVAIL INTERRUPTING WITH THEIR GREEN CROPS THE BARREN MOUNTAINOUS AREA. THERE IS FOUND THE VALLE DE ELQUI, A MYSTICAL PLACE COVERED WITH VINEYARDS. FURTHER DOWN, THE CITY OF LA SERENA DELIGHTS ONE WITH ITS BEACHES AND STATELY BUILDINGS.

VAST AND FERTILE AGRICULTURAL VALLEYS MARK THE BEGINNING OF THE CENTRAL AREA. THE MOST PECULIAR FEATURES OF THE CHILEAN PEOPLE WERE FORGED HERE. THIS IS A REGION OF HUASOS, OF THE RODEO AND THE CUECA. AND IT IS HERE ALSO WHERE THE GREATEST PART OF THE CHILEAN POPULATION LIVES IN, CONCENTRATED MAINLY IN SANTIAGO, AN EXTENSIVE CITY SITUATED AT THE FOOT OF THE ANDES.

THE SHORT DISTANCES EXISTING BETWEEN THE SEA AND THE MOUNTAIN RANGE ALLOWS ONE TO GO SKIING IN FAMOUS WINTER-SPORTS RESORTS AND TO ENJOY THE BEACHES OF LOVELY SEASIDE RESORTS. NEXT TO THE PACIFIC, VIÑA DEL MAR AND VALPARAISO OUTSTAND FOR THEIR TRADITIONAL ARCHITECTURE.

THE APPEARANCE OF THE LARGE FORESTS THAT COVER RAVINES AND MOUNTAINS ANNOUNCES THE BEGINNING OF THE SOUTH OF CHILE. WELL-KNOWN FOR ITS IDYLLIC LANDSCAPES, WHERE LAKES, VOLCANOS AND RIVERS REIGN, IT IS THE PARADISE OF NAUTICAL SPORTS, OF EXCURSIONS, FISHING, RAFTING AND HOT SPRINGS. ONE ENCOUNTERS THERE BEAUTIFUL CITIES AND TOWNS, VALDIVIA, PUERTO VARAS, FRUTILLAR AND MANY OTHERS THAT WELCOME ONE WITH THEIR PECULIAR STYLE, CHARACTERISTIC OF THE GERMAN SETTLERS THAT DISENTANGLED THE COLD FOREST DURING THE LAST CENTURY.

FURTHER SOUTH, THE LARGE CENTRAL VALLEY DISAPPEARS UNDER THE SEA, GIVING RISE TO A HUGE NUMBER OF ISLANDS, CHANNELS AND FIORDS. THERE IS FOUND CHILOE, PICTURESQUE ARCHIPELAGO FULL OF WOODEN CHURCHES AND SMALL BOATS THAT PLY ITS WATERS. TO THE EAST, MAGNIFICENT MOUNTAINS, FORESTS AND RIVERS ADORN THE SO-CALLED CARRETERA AUSTRAL. ON ARRIVAL TO THE PATAGONIAN LAND, THE ENORMOUS GLACIERS APPEAR MINGLED WITH PEAKS AND WOODS COMBED BY THE WIND. THE SHEEPS COVER BY THOUSANDS THE GRASSLANDS OF THE LARGE CATTLE RANCHES. AT ITS SOUTHERNMOST PART, THE TERRITORY SUBSIDES AT THE CABO DE HORNOS, THE OUTERMOST PART OF THE SOUTH AMERICAN CONTINENT, TO FINALLY REAPPEAR IN THE ANTARCTICA.

CHILE

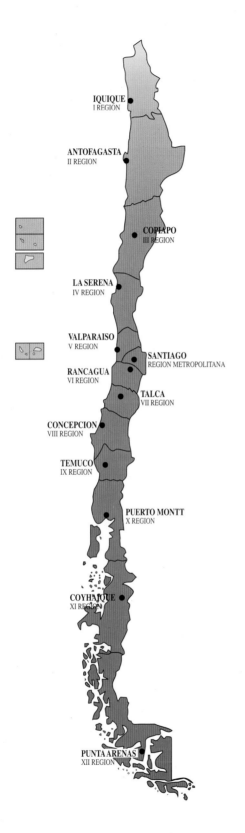

IQUIQUE
I REGION

ANTOFAGASTA
II REGION

COPIAPO
III REGION

LA SERENA
IV REGION

VALPARAISO
V REGION

SANTIAGO
REGION METROPOLITANA

RANCAGUA
VI REGION

TALCA
VII REGION

CONCEPCION
VIII REGION

TEMUCO
IX REGION

PUERTO MONTT
X REGION

COYHAIQUE
XI REGION

PUNTA ARENAS
XII REGION

TERRITORIO CHILENO ANTARTICO

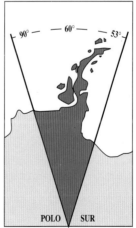

90°   60°   53°

POLO   SUR

LAGO CHUNGARA Y VOLCAN PARINACOTA, I REGION • LAKE CHUNGARA AND PARINACOTA VOLCANO, REGION I

SALAR DE SURIRE, I REGION • SALAR DE SURIRE, REGION I

NEVADOS DE PAYACHATA, I REGION • PAYACHATA SNOW-CAPPED MOUNTAINS, REGION I

SALITRERA ABANDONADA DE HUMBERSTONE, I REGION • HUMBERSTONE´S ABANDONED NITRATE WORKS OFFICES, REGION I

PARINACOTA, PARQUE NACIONAL LAUCA, I REGION • PARINACOTA, LAUCA NATIONAL PARK, REGION I

ARICA, I REGION • ARICA, REGION I

TORRE DEL RELOJ, IQUIQUE, I REGION • TORRE DEL RELOJ, IQUIQUE, REGION I

SALAR DE ATACAMA, II REGION • SALAR DE ATACAMA, REGION II

LA PORTADA, ANTOFAGASTA, II REGION • LA PORTADA, ANTOFAGASTA, REGION II

VALLE DE LA LUNA, II REGION • VALLE DE LA LUNA, REGION II

TOCORPURI, CALAMA AL INTERIOR, II REGION • TOCORPURI, TO THE INSIDE OF THE TOWN OF CALAMA, REGION II

IGLESIA DE CHIUCHIU, II REGION • CHIUCHIU CHURCH, REGION II

BAHIA INGLESA, III REGION • BAHIA INGLESA, REGION III

GEISERS DEL TATIO, II REGION • EL TATIO GEISERS, REGION II

SALAR DE MARICUNGA, ALTIPLANO DE COPIAPO, III REGION • SALAR DE MARICUNGA, HIGH PLATEAU OF COPIAPO, REGION III

TOTORALILLO, CAMINO A LA SERENA, IV REGION • TOTORALILLO, ROAD TO LA SERENA, REGION IV

VALLE DEL ELQUI, IV REGION • ELQUI VALLEY, REGION IV

LA SERENA, IV REGION • LA SERENA, REGION IV

VIÑA DEL MAR, V REGION • VIÑA DEL MAR, REGION V

REÑACA, VIÑA DEL MAR, V REGION • REÑACA, VIÑA DEL MAR, REGION V

VALPARAISO, V REGION • VALPARAISO, REGION V

PLAYA DE ANAKENA, ISLA DE PASCUA, V REGION • ANAKENA BEACH, EASTER ISLAND, REGION V

PORTILLO, V REGION • PORTILLO, REGION V

ISLA DE PASCUA, V REGION • EASTER ISLAND, REGION V

ISLA ROBINSON CRUSOE, V REGION • ROBINSON CRUSOE ISLAND, REGION V

SANTIAGO, REGION METROPOLITANA • SANTIAGO, METROPOLITAN REGION

CATEDRAL DE SANTIAGO, REGION METROPOLITANA • CATHEDRAL OF SANTIAGO, METROPOLITAN REGION

HACIENDA CHACABUCO, REGION METROPOLITANA • HACIENDA CHACABUCO, METROPOLITAN REGION

PLANTACION DE NARANJOS, PELEQUEN, VI REGION • ORANGE TREES PLANTATION, PELEQUEN, REGION VI

CAMINO A PICHIDEGUA, VI REGION • ROAD TO PICHIDEGUA, REGION VI

PALMAR DE COCALAN, VI REGION • COCALAN PALM GROVE, REGION VI

ALTO VILCHES EN INVIERNO, VII REGION • ALTO VILCHES IN WINTER, REGION VII

CONSTITUCION, VII REGION • CONSTITUCION, REGION VII

RADAL SIETE TAZAS, VII REGION • RADAL SIETE TAZAS, REGION VII

ALTO BIOBIO, VIII REGION • ALTO BIOBIO, REGION VIII

LAGO Y VOLCAN VILLARRICA, IX REGION • VILLARRICA LAKE AND VOLCANO, REGION IX

TERMAS DE CHILLAN, VIII REGION • CHILLAN HOT SPRINGS AND SKI CENTER, REGION VIII

RAFTING EN RIO TRANCURA, PUCON, IX REGION • RAFTING IN TRANCURA RIVER, PUCON, REGION IX

PARQUE NACIONAL VILLARRICA, IX REGION • VILLARRICA NATIONAL PARK, REGION IX

PARQUE NACIONAL CONGUILLIO EN INVIERNO, IX REGION • CONGUILLIO NATIONAL PARK IN WINTER, REGION IX

LAGO CONGUILLIO Y VOLCAN LLAIMA, IX REGION • LAKE CONGUILLIO AND LLAIMA VOLCANO, REGION IX

RESERVA NACIONAL MALALCAHUELLO, IX REGION • MALALCAHUELLO NATIONAL RESERVE, REGION IX

CAMPOS DE RAPS Y VOLCAN LLAIMA, IX REGION • RAPS FIELDS AND LLAIMA VOLCANO, REGION IX

ERUPCION VOLCAN LONQUIMAY, IX REGION • ERUPTION OF LONQUIMAY VOLCANO, REGION IX

PARQUE NACIONAL HUERQUEHUE, IX REGION • HUERQUEHUE NATIONAL PARK, REGION IX

VOLCAN PUNTIAGUDO, X REGION • PUNTIAGUDO VOLCANO, REGION X

CHILE

56

IGLESIA DE DALCAHUE, ISLA DE CHILOE, X REGION • DALCAHUE CHURCH, CHILOE ISLAND, REGION X

VOLCAN TRONADOR, X REGION • TRONADOR VOLCANO, REGION X

VOLCAN OSORNO Y RIO PETROHUE, X REGION • OSORNO VOLCANO AND PETROHUE RIVER, REGION X

VALDIVIA, A ORILLAS DEL RIO CALLE CALLE, X REGION • VALDIVIA, ON THE BANKS OF THE CALLE CALLE RIVER, REGION X

PUERTO VARAS, LAGO LLANQUIHUE, X REGION • PUERTO VARAS, LLANQUIHUE LAKE, REGION X

PLAYA DE MEHUIN, X REGION • MEHUIN BEACH, REGION X

RALUN, ESTUARIO DE RELONCAVI, X REGION • RALUN, ESTUARY OF RELONCAVI, REGION X

LAGO TODOS LOS SANTOS, X REGION • TODOS LOS SANTOS LAKE, REGION X

VENTISQUERO SAN RAFAEL, XI REGION • SAN RAFAEL GLACIER, REGION XI

LAGO LAS TORRES, XI REGION • LAS TORRES LAKE, REGION XI

PUERTO PALOS, AISEN, XI REGION • PUERTO PALOS, AISEN, REGION XI

CAMPOS CERCANOS A COYHAIQUE, XI REGION • AGRICULTURAL LANDS NEAR COYHAIQUE, REGION XI

CARRETERA AUSTRAL, XI REGION • AUSTRAL ROAD, REGION XI

PUENTE PALENA, CARRETERA AUSTRAL, XI REGION • PALENA BRIDGE, AUSTRAL ROAD, REGION XI

PUNTA ARENAS, JUNTO AL ESTRECHO DE MAGALLANES, XII REGION • PUNTA ARENAS, NEXT TO THE MAGELLAN STRAITS, REGION XII

GLACIAR GREY, XII REGION • GREY GLACIER, REGION XII

TORRES DEL PAINE, XII REGION • TORRES DEL PAINE, REGION XII

PARQUE NACIONAL TORRES DEL PAINE, XII REGION • TORRES DEL PAINE NATIONAL PARK, REGION XII

LAGO GREY, XII REGION • GREY LAKE, XII REGION

PUERTO NATALES, XII REGION • PUERTO NATALES, REGION XII

ANTARTICA, XII REGION • ANTARTICA, REGION XII